아서 스타터 워크북 05

아서 이야기를 들려주다

글·그림 마크 브라운

롱테일북스

등장인물

D.W.

메리 무 카우를 좋아하는 아서의 여동생. 아서를 괴롭히는 게 취미이다.

바다 저편으로 날아가는 D.W.

정글에서 사진을 찍는 D.W.

가파른 산을 오르는 D.W.

팔

아서 가족의 반려견. 사고뭉치이지만 아서를 잘 따른다.

Contents

본 워크북에 담긴 한국어 번역의 페이지는 영어 원서의 페이지와 동일하게 유지했습니다.
영어 원서를 읽다가 이해가 가지 않는 부분이 있다면, 워크북의 같은 페이지를 펼쳐 보세요! 궁금한 부분의 번역을 쉽게 확인할 수 있습니다.

영어 원서를 100 단어 기준으로 총 세 개의 파트로 나누어, 각 파트별로 다양한 액티비티를 담았습니다. 재미있게 영어 원서를 읽고 액티비티를 풀어 나가다 보면 영어 실력도 쑥쑥 향상될 것입니다!

부록으로 제공되는 MP3 CD에는 '듣기 훈련용 오디오북'과 '따라 읽기용 오디오북'의 두 가지 오디오북이 담겨 있습니다.
'듣기 훈련용 오디오북'은 원어민 전문 성우가 녹음한 오디오북으로 재미있는 효과음이 곁들여져 원서의 내용을 실감나게 이해하도록 도울 것입니다.
'따라 읽기용 오디오북'은 초보 학습자들을 위한 오디오북으로 효과음을 제거하고 조금 더 천천히 녹음한 것으로 학습용으로 사용하기에 유용할 것입니다.

“아서 오빠, 나 지루해.” D.W.가 말했습니다. “이야기 하나 들려줘.”

아서는 한숨을 쉬었습니다. “지금은 안 돼, D.W.”

“부탁해도 안 돼?” 그녀가 말했습니다.

“안 된다니까.” 아서가 말했습니다. “난 너무 바쁘단 말이야.”

“내가 보기에 오빠는 하나도 안 바쁜 것 같은데.” D.W.가 말했습니다.

“음, 난 바빠.” 아서가 주장했습니다. “난 팔을 데리고 산책을 가야 해.”

“나도, 같이 가도 돼?” D.W.가 물었습니다.

"너도 갈 수는 있겠지." 아서가 말했습니다. "하지만 팔과 나는 오늘 산을 오를 거야. 정말, 정말 가파른 산을 말이야."

"나 등산하는 거 좋아해." D.W.가 말했습니다. "내가 내 운동화를 가져올게!"

"안 돼." 아서가 말했습니다. "그건 너무 위험해.
산 정상에는 화산이 있어.
만약 그게 폭발하면, 우리는 바다 저편으로 날아가 버릴 거야."
"재미있겠다!" D.W.가 말했습니다.

"전혀 그렇지 않아." 아서가 그녀에게 말했습니다. "우리가 마침내 땅에 떨어지면, 우리는 정글에 있게 될 거야. 사방에 야생동물들이 있을 거라고."

“유니콘도 있을까?” D.W.가 물었습니다.

아서는 자신의 고개를 저었습니다. “어쨌든, 우리가 정글에서 탈출한 후에 우리는 바다를 건너 헤엄쳐 돌아가야 해. 너는 수영할 줄 모르잖아.”

"그건 괜찮아." D.W.가 말했습니다. "나는 배를 탈게."

"하지만 우리가 해안가에 도착하면, 기자들과
촬영 기사들이 곳곳에 있을 거야." 아서가 말했습니다.
"너는 어쩌면 사람들 사이에서 깔릴지도 몰라."
"아니면 아마 내가 TV에 나올 수도 있어!" D.W.가 말했습니다.

"그럴 시간이 없을 거야." 아서가 설명했습니다. "우리는 바로 백악관으로 가야 해. 대통령이 우리를 만나고 싶어 할 거야."

"오오오, 백악관이라니!" D.W.가 외쳤습니다.

"유감이지만." 아서가 말했습니다. "들어가려면 특별한 명단에 네 이름이 올라가 있어야 해. 그리고 네 이름은 거기에 없어."

D.W.가 미소 지었습니다. "나는 그들이 나를 들여보내 줄 거라고 확신해.
그들이 내 새 드레스와 파티용 신발을 보고 어떻게 하는지 두고 봐!"

“그건 상관 없어.” 아서가 말했습니다. “우리는 헬리콥터를 타고 집으로 갈 거고, 거기에는 팔과 나를 위한 공간밖에 없어. 게다가, 우리는 서두르고 있을 거야. 우리는 제시간에 이곳으로 돌아와서 고향에서 열릴 큰 행진을 이끌어야 하거든.”

“오.” D.W.가 말했습니다.

"그러니까 이제 내가 왜 너에게 이야기를 들려줄 수 없는지 이해했지?" 아서가 물었습니다.

"응." D.W.가 말했습니다. "그리고 고마워."

"고맙다고?" 아서가 얼굴을 찡그렸습니다. "뭐가 고맙다는 거야?"

D.W.가 미소 지었습니다. “그건 내가 지금까지 들은 이야기 가운데 최고였어!”

Activities

영어 원서를 총 세 개의 파트로 나누어,
각 파트별로 다양한 액티비티를 담았습니다.

각 파트의 영어 원서 페이지는 롱테일북스에서 출간된
'롱테일 에디션'을 기준으로 합니다!

Vocabulary Part 1

지루한, 지겨운

bored

부디, 제발

please

바쁜

busy

주장하다, 우기다

insist

산책, 걷기; 걷다

walk

~을 제외하면

except

오르다

climb

산

mountain

가파른

steep

운동화

sneakers

위험한

dangerous

화산

volcano

정상, 꼭대기

top

(화산이) 폭발하다, 분출하다

erupt

(바람에) 날리다, (입으로) 불다
(과거분사형 blown)

blow

바다

ocean

~처럼 들리다

sound

재미; 재미있는

fun

Word Review Part 1

A 알파벳을 바르게 배열하여 그림에 맞게 단어를 완성해 보세요.

1

y b s u

b

2

d o n s u

3

a c e o n

B 알파벳을 바르게 써넣어 그림에 알맞은 단어를 완성해 보세요.

1

wa l k

2

s ea rs

3

ru t

C 그림을 보고 알맞은 단어를 퍼즐에서 찾은 뒤, 빈칸에 단어를 써 보세요.

c	l	i	m	b	h	n	j
z	y	i	l	o	d	b	i
w	k	u	b	r	q	a	y
l	q	s	t	e	e	p	t
j	b	y	c	d	k	v	w
p	l	z	b	f	i	o	f
t	o	q	c	r	l	z	u
q	w	t	x	w	c	b	n

1

fun

2

3

4

5

Wrap Up! Part 1

A 이야기의 순서에 맞게 번호를 적어 보세요.

D.W. thought that
an eruption would be fun.

D.W. wanted to climb a
mountain with Arthur and Pal.

Arthur insisted that he
had to take a walk with Pal.

1

Arthur didn't want
to tell D.W. a story.

B 각 단어에 알맞은 그림을 찾고, 이를 설명하는 문장을 찾아 바르게 이어 보세요.

bored

mountain

dangerous

volcano

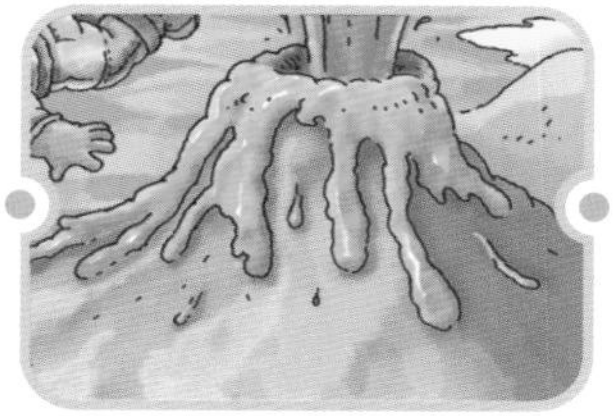

Arthur would climb a mountain.

The volcano would erupt sooner or later.

D.W. was bored.

It would be dangerous for D.W. to go with Arthur.

C 다음 그림을 보고 아래의 단어를 알맞게 넣어 문장을 완성해 보세요.

sneakers walk insisted

1. D.W. wanted to go for a ________ with Arthur and Pal.

2. Arthur ________ that he would climb a steep mountain.

3. D.W. would get her ________ for climbing.

D 책의 내용과 일치하면 TRUE에, 그렇지 않으면 FALSE에 동그라미를 그려 보세요.

1. D.W. wanted to tell Arthur a story. TRUE FALSE
2. Arthur didn't look busy to D.W. TRUE FALSE
3. Arthur explained to D.W. why he was busy. TRUE FALSE
4. There would be a volcano in the middle of the ocean. TRUE FALSE

E 다음 질문에 대한 알맞은 답을 골라 보세요.

What did Arthur say when D.W. asked him to tell a story?

a. He was too busy.

b. It sounded like fun.

c. He loved telling stories.

Let's Write! Part 1

A 우리말에 맞게 알맞은 짝을 찾아 바르게 연결하고 완성된 문장을 두 번씩 써 보세요.

1 You don't look	busy to me.
2 I have to take Pal	at the top of the mountain.
3 I'll get	for a walk.
4 There's a volcano	my sneakers!

1 내가 보기에 오빠는 하나도 안 바쁜 것 같은데.

You don't look busy to me.

2 난 팔을 데리고 산책을 가야 해.

3 내가 내 운동화를 가져올게!

4 산 정상에는 화산이 있어.

Vocabulary Part 2

(땅에) 떨어지다, 착륙하다

land

정글, 밀림

jungle

야생의

wild

동물

animal

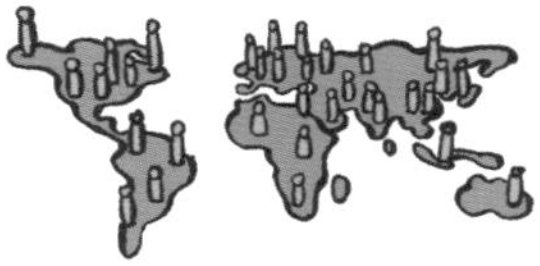

사방에, 모든 곳에

everywhere

유니콘

unicorn

탈출하다

escape

수영하다, 헤엄치다

swim

배, 보트

boat

해안, 해변

shore

기자, 리포터

reporter

촬영 기사, 사진사

photographer

짓밟다, 밟아 뭉개다

trample

사람들

crowd

설명하다

explain

대통령

president

만나다

meet

외치다 (과거형 cried)

cry

A 알파벳을 이어서 알맞은 그림과 연결하고, 빈칸에 완성된 단어를 써 보세요.

r

c y

e

r

m e e

i

w t

h l

o

s d

cry

B 그림을 보고 같은 색깔의 알파벳을 바르게 배열하여 빈칸에 써 보세요.

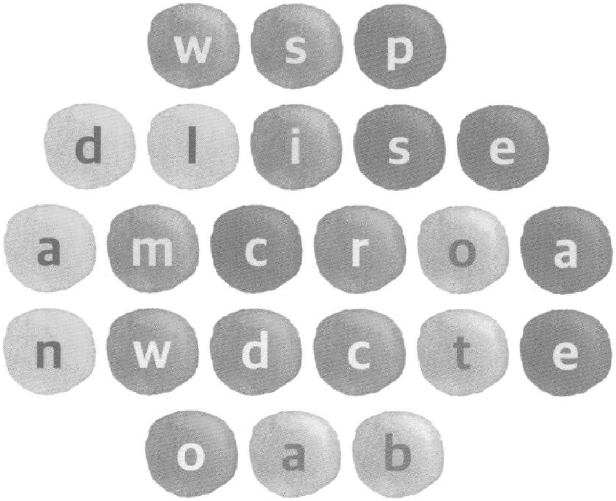

1

boat

2

3

4

5

Wrap Up! Part 2

A 이야기의 순서에 맞게 번호를 적어 보세요.

There would be reporters and photographers on shore.

Arthur thought that D.W. could not cross the ocean.

Arthur and D.W. would be in the jungle.

Arthur and Pal could go to the White house.

B 두 개의 문장 중 오른쪽에 있는 그림을 바르게 설명하는 문장을 골라 보세요.

1
ⓐ Unicorns would be everywhere.
ⓑ Wild animals would be in the jungle.

2
ⓐ Arthur and Pal would climb a mountain.
ⓑ Arthur and Pal would swim across the ocean.

3
ⓐ D.W. would take a boat to shore.
ⓑ D.W. would be blown to shore.

4
ⓐ D.W. would love being on TV.
ⓑ D.W. would love meeting the President.

C 다음 그림을 보고 아래의 단어를 알맞게 넣어 문장을 완성해 보세요.

photographers boat trampled

1. D.W. would take a ______________ to get back to the land.

2. Reporters and ______________ would be on shore.

3. D.W. didn't worry about being ______________ in the crowd.

D 책의 내용과 일치하면 TRUE에, 그렇지 않으면 FALSE에 동그라미를 그려 보세요.

1. There would be wild animals in the jungle. TRUE FALSE
2. D.W. wanted to meet a unicorn. TRUE FALSE
3. Arthur would take a boat to escape from the jungle. TRUE FALSE
4. The President would want to meet Arthur and Pal. TRUE FALSE

E 다음 질문에 대한 알맞은 답을 골라 보세요.

Where would Arthur and D.W. be when they landed?

a. On a boat

b. In the jungle

c. In the White House

Let's Write! Part 2

A **오늘 공부한 문장을 따라 써 보세요.**

1 사방에 야생동물들이 있을 거라고.

There will be wild animals everywhere.

2 너는 수영할 줄 모르잖아.

You can't swim.

3 나는 배를 탈게.

I'll take a boat.

4 아마 내가 TV에 나올 수도 있어!

Maybe I'll get to be on TV!

5 그럴 시간이 없을 거야.

There won't be time.

6 대통령이 우리를 만나고 싶어 할 거야.

The President will want to meet us.

Vocabulary Part 3

유감스러운, 미안한

sorry

특별한

special

명단, 목록

list

미소를 짓다

smile

확신하는, 틀림없는

sure

기다리다

wait

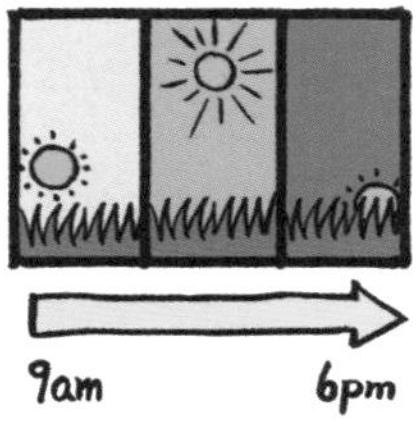

~ 때까지

till

드레스

dress

파티

party

신발

shoe

헬리콥터

helicopter

공간

room

서두름, 급함

hurry

이끌다

lead

고향

hometown

행진, 퍼레이드

parade

이해하다, 알아듣다

understand

얼굴을 찡그리다, 찌푸리다

frown

Word Review Part 3

A 그림을 보고 알파벳 속에서 맞는 단어를 찾아 빈칸에 써 보세요.

skosorrypsbfrownaoihnnohelicopteriuocsmilebeleadnsenroomocns

1

sorry

2

3

4

5

6

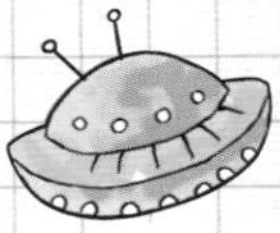

B 그림을 보고 알맞은 단어를 퍼즐에 넣어 완성한 뒤, 빈칸에 단어를 써 보세요.

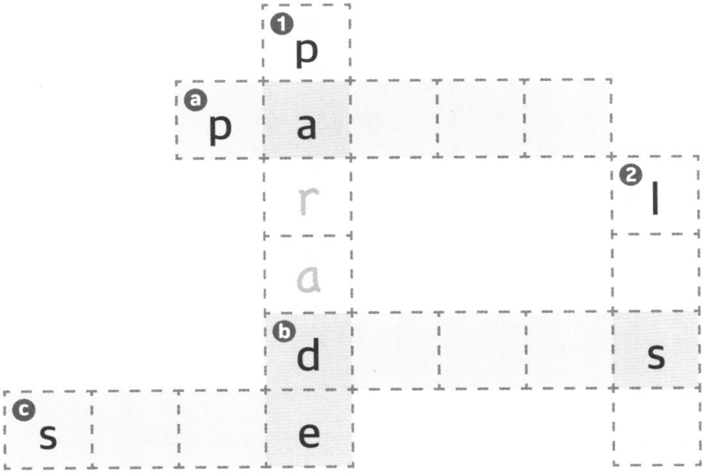

❶

parade

❷

ⓐ

ⓑ

ⓒ

Wrap Up! Part 3

A 이야기의 순서에 맞게 번호를 적어 보세요.

D.W. loved Arthur's story.

Arthur didn't understand why D.W. thanked him.

D.W. would not be on the special list.

Only Arthur and Pal could take a helicopter home.

B 그림의 각 부분을 올바르게 설명하는 문장을 찾아 빈칸에 맞는 기호를 넣어 보세요.

ⓐ Arthur explained why D.W. could not meet the President.

ⓑ D.W. was sure that she would get in the White House.

ⓒ D.W. would wear a new dress to the White House.

ⓓ The President would finally meet D.W.

C 다음 그림을 보고 아래의 단어를 알맞게 넣어 문장을 완성해 보세요.

helicopter lead room

1 Arthur and Pal would go home by ______________ .

2 There would be no ______________ for D.W.

3 Arthur and Pal should ______________ a big parade.

D 책의 내용과 일치하면 TRUE에, 그렇지 않으면 FALSE에 동그라미를 그려 보세요.

1. Arthur was sure that the White House would let D.W. in. TRUE FALSE
2. Arthur and Pal would hurry to get home. TRUE FALSE
3. Arthur frowned when D.W. thanked him. TRUE FALSE
4. D.W. thought that Arthur's story was the best. TRUE FALSE

E 다음 질문에 대한 알맞은 답을 골라 보세요.

Why wouldn't D.W. be able to get in the White House?

a. She would not be on the special list.

b. The President would not want to see her.

c. She would not have a new dress and party shoes.

Let's Write! Part 3

A **우리말에 맞게 네모 안에 있는 말을 바르게 배열해 보세요.**

1 특별한 명단에 네 이름이 올라가 있어야 해.

be on a special list 특별한 명단에 올라가 있어야	You 너는	have to ~해야 한다

You have to ______________________.

2 나는 그들이 나를 들여보내 줄 거라고 확신해.

they'll 그들이 ~할 것이라고	I'm sure 나는 확신한다	let me in 나를 들여보내다

______________________.

3 우리는 헬리콥터를 타고 집으로 갈 거야.

home 집으로	a helicopter 헬리콥터를	We're taking 우리는 타고 갈 것이다

______________________.

4 게다가, 우리는 서두르고 있을 거야.

we'll be 우리는 ~일 것이다	Besides, 게다가	in a hurry 서두르고 있는

____ .

5 우리는 제시간에 이곳으로 돌아와야 하거든.

have to ~해야 한다	We 우리는	in time 제시간에	get here 이곳으로 돌아와야

____ .

6 그건 내가 지금까지 들은 이야기 가운데 최고였어!

the best story 최고의 이야기	was ~이었다	That 그것은	ever 내가 지금까지 들은

____ !

Answers

Part 1

Word Review

A

1 

y b s u

busy

2 

d o n s u

sound

3 

a c e o n

ocean

B

1 

walk

2 

sneakers

3 

erupt

C

c	l	i	m	b	h	n	j
z	y	i	l	o	d	b	i
w	k	u	b	r	q	a	y
l	q	s	t	e	e	p	t
j	b	y	c	d	k	v	w
p	l	z	b	f	i	o	f
t	o	q	c	r	l	z	u
q	w	t	x	w	c	b	n

1 

fun

2 

blow

3 

climb

4 

steep

5 

bored

Wrap Up!

A

D.W. thought that an eruption would be fun.

D.W. wanted to climb a mountain with Arthur and Pal.

Arthur insisted that he had to take a walk with Pal.

Arthur didn't want to tell D.W. a story.

B

- volcano —  — The volcano would erupt sooner or later.
- bored —  — D.W. was bored.
- mountain —  — Arthur would climb a mountain.
- dangerous —  — It would be dangerous for D.W. to go with Arthur.

C

1. D.W. wanted to go for a walk with Arthur and Pal.
2. Arthur insisted that he would climb a steep mountain.
3. D.W. would get her sneakers for climbing.

D 1 FALSE 2 TRUE 3 TRUE 4 FALSE

E a

Let's Write!

A

1. You don't look — busy to me.
2. I have to take Pal — for a walk.
3. I'll get — my sneakers!
4. There's a volcano — at the top of the mountain.

Part 2
Word Review

A

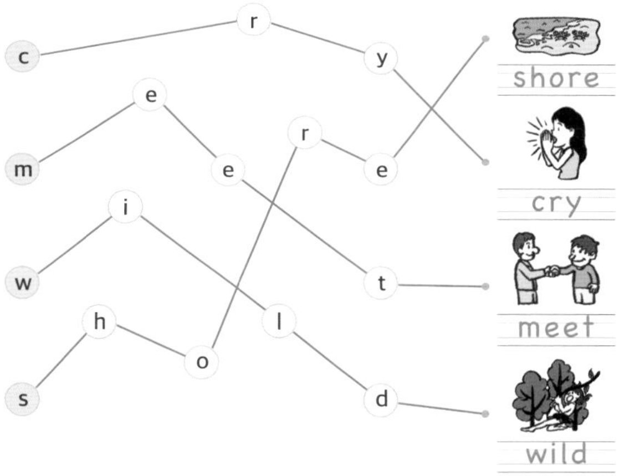

B

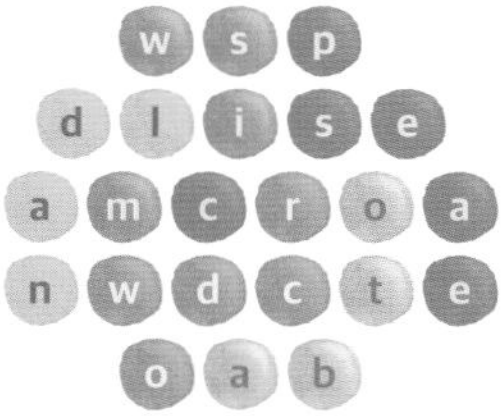

1 
boat

2 
escape

3 land

4 swim

5 crowd

Wrap Up!

A

3 There would be reporters and photographers on shore.

2 Arthur thought that D.W. could not cross the ocean.

1 Arthur and D.W. would be in the jungle.

4 Arthur and Pal could go to the White house.

B 1 b 2 b 3 a 4 a

C

1 D.W. would take a boat to get back to the land.

2 Reporters and photographers would be on shore.

3 D.W. didn't worry about being trampled in the crowd.

D 1 TRUE 2 TRUE 3 FALSE 4 TRUE

E b

Part 3

Word Review

A

skosorrypsbfrownaoihnohelicopteriuocsmilebeleadnsenroomocns

1 
sorry

2 
frown

3 
helicopter

4 
room

5 
lead

6 
smile

B

			1 p				
		a p	a	r	t	y	
			r				2 l
			a				i
			b d	r	e	s	s
c s	h	o	e				t

1 
parade

2 
list

a 
party

b 
dress

c 
shoe

Wrap Up!

A

D.W. loved Arthur's story.

Arthur didn't understand why D.W. thanked him.

D.W. would not be on the special list.

Only Arthur and Pal could take a helicopter home.

B

C

1. Arthur and Pal would go home by helicopter .
2. There would be no room for D.W.
3. Arthur and Pal should lead a big parade.

D 1 FALSE 2 TRUE 3 TRUE 4 TRUE

E a

Let's Write!

A

1. You have to be on a special list.
2. I'm sure they'll let me in.
3. We're taking a helicopter home.
4. Besides, we'll be in a hurry.
5. We have to get here in time.
6. That was the best story ever!

More Arthur Stories to Read!

01 Arthur and the Big Snow

02 Arthur and the Dog Show

03 Arthur Helps Out

04 Arthur Jumps into Fall

05 Arthur Tells a Story

06 Arthur to the Rescue

07 Arthur's Birthday Surprise

08 Arthur's Heart Mix-Up

09 Arthur's Homework

10 Arthur's Jelly Beans

11 Arthur's Mystery Babysitter

12 Arthur's Off to School

13 Arthur's Tree House

재미있는 내용을 쉬운 문장과 간결한 표현으로 풀어 낸 기초 원서,
『아서 스타터(Arthur Starter)』 시리즈

아이들의 눈높이에 맞춘 유쾌한 이야기!
실생활에 바로 적용할 수 있는 영어 표현!

아서 이야기를 들려주다

초판 발행	2022년 1월 3일
글 · 그림	마크 브라운
번역및콘텐츠감수	유아름 정소이
콘텐츠제작참여	기나현 선생님(경기 고양 일산중) 김수정 선생님(경기 부천 계남초) 이재영 선생님(서울 영등포 영림초) 임소연 선생님(경기 동두천 생연초)
영문감수	Julie Tofflemire
책임편집	유아름 정소이 김보경
디자인	모희정 이강효
저작권	김보경
마케팅	김보미 정경훈
기획	김승규
펴낸이	이수영
펴낸곳	롱테일북스
출판등록	제2015-000191호
주소	04033 서울특별시 마포구 양화로 113(서교동) 3층
전자메일	helper@longtailbooks.co.kr
ISBN	979-11-91343-29-8 14740